Índice

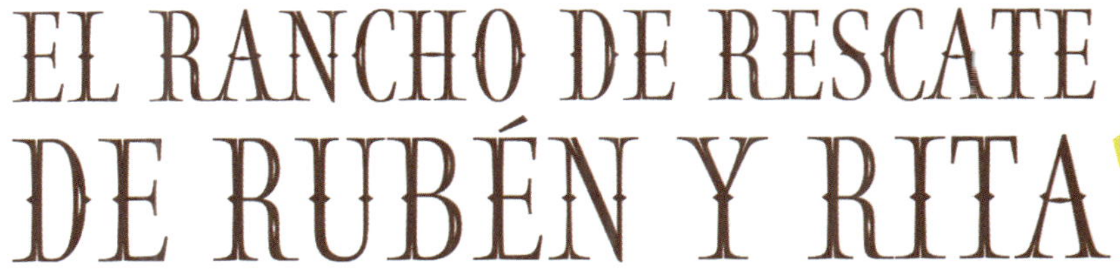

EL RANCHO DE RESCATE DE RUBÉN Y RITA

Soltándola

De Katy Duffield

Ilustrado por
Hazel Quintanilla

Traducción de
Santiago Ochoa

Rourke®

Estimado tutor/educador:
Introduzca a su niño al maravilloso mundo de la lectura con
nuestros libros de lectura por niveles. Su lector en crecimiento estará
continuamente ocupado mientras es guiado de un nivel al siguiente.
¡Cada nivel está cuidadosamente diseñado para proporcionar a su
niño las habilidades lectoras y los conocimientos necesarios para
convertirse en un lector seguro de sí mismo! En última instancia,
queremos que su niño desarrolle el amor por la lectura.

Nivel 1 *Aprendiendo a leer*
Palabras de alta frecuencia, frases básicas, letras grandes, etiquetas,
ilustraciones a todo color para ayudar a los jóvenes lectores a
comprender mejor el texto.

Nivel 2 *Empezando a leer solo*
Frases cortas, palabras conocidas, un argumento sencillo, tipos de
letra fáciles de leer.

Nivel 3 *Lectura independiente*
Párrafos cortos, tramas fáciles de seguir, vocabulario cada vez más
exigente, historias emocionantes.

Nivel 4 *Lector competente*
Capítulos, historias atractivas, vocabulario estimulante, múltiples
características textuales.

La lectura debe ser una experiencia placentera. Un niño que disfruta
leyendo lee más, y un niño que lee más se convierte en un mejor
lector. Su niño crecerá teniendo contacto con un amplio vocabulario y
técnicas literarias, y desarrollará un pensamiento crítico más profundo
y habilidades de comprensión. Estamos encantados de formar parte
del viaje de lectura de su niño.

Feliz lectura,
Rourke Educational Media

© 2025 Rourke Educational Media

www.rourkebooks.com

Edición de: Kim Thompson
Diseño de los interiores y la portada de: Kathy Walsh
Ilustraciones de los interiores y la portada de: Hazel
Quintanilla
Traducción al español: Santiago Ochoa
Edición en español: Base Tres

Library of Congress PCN Data

Soltándola / Katy Duffield
(El rancho de rescate de Rubén y Rita)
ISBN 978-1-73165-903-3 (hard cover)(alk. paper)
ISBN 978-1-73165-902-6 (soft cover)
ISBN 978-1-73165-904-0 (e-Book)
ISBN 978-1-73165-905-7 (ePub)
Library of Congress Control Number: 2024947728

Printed in the United States of America
01-0342511937

Un Nuevo Visitante

Rita abre la puerta del granero.

—¿Dónde estás, tía Raquel? —llama Rubén.

—Aquí —dice la tía Raquel.

La tía Raquel está sentada

en un taburete. Sostiene

algo envuelto en una toalla.

Rubén y Rita se acercan.

Una cabeza con plumas se

asoma.

—Es una lechuza común

—les dice la tía Raquel.

—¡Genial! —dice Rubén.

—¡No es genial! —dice Rita.

Señala las afiladas **garras** de la

lechuza.

—Son sus garras —dice la tía Raquel—. Las garras ayudan a las lechuzas a atrapar su comida.

—Esta lechuza es la cosa más increíble que haya visto —dice Rubén.

Rita mantiene la distancia.

Pero Rubén acerca su mano al
ave.

—¿Qué le pasa? —pregunta
Rubén.

—Tiene el ojo herido

—dice la tía Raquel.

Rubén mira más de cerca.

—¿Estará bien?

—No puedo curarla. Pero puede sanar con el tiempo —dice la tía Raquel. Rubén frunce el ceño.

—Pobre lechuza —dice.

Capítulo dos

Esperando

Rita está lista para hacer

otra cosa. Rubén no.

Rita se balancea en el columpio de llanta. Rubén se queda con la lechuza.

La tía Raquel y Rita se van
de **caminata**. Rubén le canta
a la lechuza.

Rita prepara helado

casero de fresa. Rubén

acaricia las suaves plumas

de la lechuza.

Más tarde, la tía Raquel y Rita vuelven al granero.

—Lamento que la lechuza esté herida —dice Rita.

—Yo también —dice la tía Raquel.

—¡Pero al menos podemos

quedarnos con ella! —dice

Rubén.

La tía Raquel parece **perpleja**.

—Sé que te **encariñaste** con la lechuza —dice la tía Raquel—. Pero tenemos que soltarla.

—Pero ella no ve bien —dice Rita.

—¿Cómo va a **cazar** para comer? —pregunta Rubén.

La tía Raquel levanta las

plumas de la lechuza, a un lado

de la cabeza.

—¿Ven sus orejas? —pregunta.

Rita y Rubén asienten.

—Las lechuzas utilizan sobre todo sus orejas para cazar —dice la tía Raquel—. Su oído es muy potente. Pueden oír incluso a un pequeño lagarto arrastrarse por el suelo.

Al día siguiente, una brisa

cálida sopla entre los **pinos**.

Rubén sabe qué día es. Es

el día en que soltarán a la

lechuza.

La familia se reúne en el
granero. La tía Raquel saca
a la lechuza.

—Adiós, lechuza —dice Rita.

—Espero que vuelvas para

vernos —dice Rubén.

Rubén acaricia las plumas

de la lechuza por última vez.
¡Flap! ¡Flap! ¡Flap!

Rita abraza a Rubén. La tía Raquel le toma la mano. Ven a la lechuza volar hacia el bosque.

—Es triste ver que se va
—dice Rita.

—Pero al menos sabemos
que estará bien —dice Rubén.

Rubén, Rita y la tía Raquel están tristes. Pero saben que hicieron lo correcto.

—¿Qué podemos hacer para animarnos? —pregunta la tía Raquel.

—Tengo una idea —dice Rita.

—¡Yo también! —dice

Rubén—. ¡Un helado!

¡Material adicional!

Glosario

caminata: Paseo largo, a menudo por el campo o la montaña.

cazar: Perseguir y matar animales salvajes para alimentarse.

encariñaste: Que le tomaste cariño a algo o a alguien.

garras: Uñas duras y afiladas en las patas de un animal o ave.

perpleja: Confundida o insegura.

pinos: Árboles altos de hojas persistentes que tienen conos y hojas que parecen agujas.

Preguntas para el debate

1. ¿Por qué crees que Rita estaba preocupada por las garras de la lechuza?

2. ¿Crees que soltar a la lechuza fue lo correcto?

3. ¿Crees que el cuento habría sido diferente si la herida de la lechuza le hubiera impedido cazar?

Datos sobre los animales: Lechuzas comunes

1. Las lechuzas comunes se alimentan de pequeños animales como ratones, ratas, ranas y aves pequeñas.

2. La lechuza común tiene una oreja más alta que la otra. Esto ayuda a la lechuza a oír lo que ocurre encima o debajo de ella.

3. Las alas de una lechuza común hacen muy poco ruido cuando vuela.

4. La lechuza común no «ulula» como la mayoría de las lechuzas. En su lugar, hace un chirrido.

5. Las lechuzas comunes suelen cazar de noche.

6. Las lechuzas salvajes comen unos cuatro animales pequeños cada noche.

7. ¡Las plumas de las lechuzas comunes son muy suaves!

8. Los grandes ojos de la lechuza común le ayudan a ver bien en la oscuridad.

Rincón creativo

Imagina que tienes un oído superdotado, como el de una lechuza común. Escribe un cuento sobre lo que podrías oír. ¿Qué hay de bueno en tener un oído potente? ¿Qué tiene de malo? Intenta utilizar al menos tres palabras del glosario en tu historia.

Sobre la autora

Katy Duffield es una escritora que vive en Arkansas. No cree que le gustaría oír tan bien como una lechuza común, ¡porque teme que todos los ruiditos que podría oír la mantendrían despierta en la noche!

Sobre la ilustradora

A Hazel Quintanilla le encanta su trabajo, las piyamas, las hamburguesas, los cuadernos de dibujo, las medias mullidas y, por supuesto, ¡los animales! Hazel se divirtió muchísimo ilustrando *El rancho de rescate de Rubén y Rita*.